Un monstre
sous les mers

Pour Elyot et Beatrice Harmston

Titre original : *Dark day in the Deep Sea*
© Texte, 2008, Mary Pope Osborne.
Publié avec l'autorisation de Random House Children's Books,
un département de Random House, Inc., New York, New York, USA.
Tous droits réservés.
Reproduction même partielle interdite.
© 2009, Bayard Éditions pour la traduction française
et les illustrations.

Coordination éditoriale : Céline Potard.
Réalisation de la maquette : Karine Benoit.
Illustration de couverture et illustrations intérieures : Philippe Masson.
Colorisation de la couverture, illustrations de l'arbre, de la cabane
et de l'échelle : Paul Siraudeau.

Loi n° 49-956 du 16 juillet 1949
sur les publications destinées à la jeunesse.
Dépôt légal : octobre 2009 – ISBN 13 : 978-2-7470-2805-9
Imprimé en Allemagne par CPI – Clausen & Bosse

Un **monstre** sous les mers

Mary Pope Osborne

Traduit et adapté de l'américain
par Marie-Hélène Delval

Illustré par Philippe Masson

bayard jeunesse

Léa

Prénom : Léa

Âge : sept ans

Domicile : près du bois de Belleville

Caractère : espiègle et curieuse

Signes particuliers : ne manque jamais une occasion d'entraîner son frère Tom dans des aventures mouvementées, sans se soucier du danger.

Tom

Prénom : Tom

Âge : neuf ans

Domicile : près du bois de Belleville

Caractère : studieux et sérieux

Signes particuliers : aime beaucoup
les livres, qui l'aident à se sortir
de situations périlleuses.

Les trente-trois premiers voyages de Tom et Léa

Tom et Léa ont découvert dans le bois de Belleville, perchée en haut d'un chêne, une cabane pleine de livres. C'est une

cabane magique !

Elle appartient à la fée Morgane, une magicienne et une célèbre bibliothécaire qui voyage à travers le temps et l'espace pour rassembler des livres.

Nos deux jeunes héros ont déjà vécu des **aventures extraordinaires** ! Il leur suffit d'ouvrir un livre, de poser le doigt sur une image en souhaitant se trouver à l'endroit représenté, et ils y sont aussitôt transportés !

Dans le dernier tome,
souviens-toi :

Pour guérir Merlin, Morgane a envoyé Tom et Léa en Italie, sur les traces de Léonard de Vinci. Le peintre leur a fait visiter Florence. Dans son atelier, ils ont rencontré Mona Lisa et découvert le deuxième secret du bonheur : « *Il faut être curieux de tout !* »…

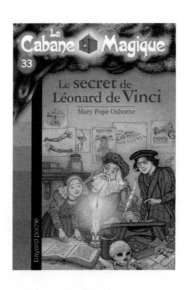

Nouvelle mission

Tom et Léa embarquent sur un voilier

pour trouver un des secrets du bonheur et sauver Merlin !

Sauront-ils éviter tous les dangers ?

Lis vite
ce nouveau « Cabane Magique »
et aide nos deux héros à remplir
la mission que leur a confiée Morgane !

Prêt à suivre Tom et Léa
dans leurs dangereuses aventures ?

Bon
voyage !

Une mouette !

Une goutte de pluie s'écrase sur le visage de Tom. Il lève les yeux. Un nuage d'orage assombrit le ciel d'été. Le garçon interpelle sa sœur :

– Plus vite, Léa !

Tous deux reviennent de la bibliothèque à vélo. Tom rapporte des livres plein son sac à dos, il ne voudrait pas qu'ils soient mouillés !

Ils appuient plus fort sur les pédales. Soudain, un cri rauque retentit.

Un gros oiseau blanc décrit une boucle au-dessus de leurs têtes avant de filer vers le bois de Belleville.

– Regarde, Léa ! Une mouette !

– Oui, c'est un signe ! Tu te souviens ? La dernière fois qu'on en a vu une, elle annonçait le retour de la cabane magique[1].

1. Lire *Sauvés par les dauphins* (Cabane magique, n° 12).

– Alors, direction le bois !

Les enfants quittent la route et s'engagent dans un sentier, rebondissant sur les cailloux et les brindilles. L'averse crépite à présent dans le feuillage des arbres.

– Teddy et Kathleen nous attendent à la cabane, c'est sûr ! dit Tom. On va partir à la recherche d'un nouveau secret du bonheur pour aider Merlin.

– Pauvre Merlin ! J'espère qu'il ira bientôt mieux.

Arrivés sous le grand chêne, ils mettent pied à terre et appuient leurs vélos contre le tronc. La cabane magique est là ! L'échelle de corde oscille doucement dans le vent.

– Teddy ! Kathleen ! appelle Léa. C'est nous ! Où êtes-vous ?

Personne ne répond.

– Ils n'ont peut-être pas pu venir, cette fois, fait remarquer Tom.

– Dommage ! J'aurais été vraiment contente de les revoir…

– COUCOU !

Deux visages apparaissent à la fenêtre. Un jeune garçon roux et rieur, et une fille à la longue chevelure noire, les yeux couleur d'océan, font de grands signes aux arrivants.

– Oh, vous êtes là ! s'exclame Léa.

Elle se dépêche d'escalader l'échelle de corde ; son frère monte derrière elle.

Arrivés dans la cabane, ils ôtent leurs casques, et les quatre amis s'embrassent joyeusement. Puis Teddy annonce :

– Morgane nous a envoyés vous confier une nouvelle mission.

– Comment va Merlin ? demande Léa avec inquiétude.

Kathleen soupire :

– Mal. Il souffre toujours d'une mystérieuse tristesse.

– On pourra le voir bientôt ? On a déjà trouvé deux des secrets du bonheur.

– Vous devrez en découvrir encore deux autres, reprend la Selkie. D'après Morgane, quatre est le chiffre magique qui vous assurera le succès.

Teddy sort alors un livre de sa poche :

– Voilà pour vous ! De la part de notre amie la fée !

Tom prend le volume.

L'image de couverture montre de grosses vagues déferlant sur une plage.

Le titre annonce :

LES MYSTÈRES DE L'OCÉAN

– C'est super ! se réjouit le garçon. On retourne au bord de la mer !

Teddy approuve de la tête :

– Oui, c'est là qu'est dissimulé le troisième secret.

– Moi, affirme Léa, j'adore la mer. Une fois, Tom et moi, on a exploré un récif de corail[1] dans un submersible et on a rencontré une pieuvre. Heureusement, elle était plutôt timide, elle…

Tom l'interrompt :

1. Lire *Sauvés par les dauphins* (Cabane magique, n° 12).

– Mais le requin, lui, il n'avait rien de timide ! C'était un grand requin-marteau.

– Et le submersible a commencé à prendre l'eau, continue Léa.

– Oui, on a dû rejoindre la rive à la nage.

– Qu'est-ce qu'on s'est amusés ! conclut la petite fille.

Kathleen lui sourit :

– Eh bien, je souhaite que votre nouvelle aventure soit aussi… amusante !

– Néanmoins, en cas de problème, leur rappelle Teddy, vous possédez un objet très utile : la baguette de Dianthus !

– Oh, pas de danger qu'on oublie ! dit Tom en ouvrant son sac à dos.

Il en tire le bâton d'argent, en forme de corne de licorne.

Kathleen interroge les enfants :

– Vous vous souvenez bien des trois règles obligatoires ?

– Parfaitement ! assure Tom. Une formule magique doit nécessairement comporter cinq mots.

– Seulement on ne peut pas utiliser la magie tant qu'on n'a pas essayé tous les moyens possibles, enchaîne Léa.

– Et seulement pour aider les autres !

– C'est exact, approuve Teddy. Comme toujours, soyez astucieux !

– Et écoutez ce que vous dicte votre cœur, termine Kathleen.

– Tout ira bien, leur assure Léa. On vous racontera nos aventures à notre retour.

Dehors, la pluie redouble. Un éclair jaillit, le tonnerre roule au loin.

Tom pose le doigt sur la couverture du livre et prononce la phrase habituelle :

– Nous souhaitons être transportés ici !

Aussitôt, le vent se met à hurler, la cabane à tourner.

Elle tourne plus vite, de plus en plus vite.

Elle tourbillonne comme une toupie folle.

Puis tout s'arrête, tout se tait.

Des pirates ?

Quand Tom ouvre les yeux, Teddy et Kathleen ont disparu. Sa sœur et lui sont vêtus d'un costume marin, avec un pantalon court pour Tom et une jupe plissée pour Léa. Ils sont chaussés d'espadrilles de toile bleue.

Ils courent regarder à la fenêtre. La cabane s'est posée tout en haut d'un grand arbre aux branches étendues. Dehors, un épais brouillard dissimule le paysage, mais on entend le cri des mouettes et le bruissement des vagues sur le rivage. Il fait chaud, une odeur d'algues et de sel flotte dans l'air.

Léa respire à pleins poumons :

– Tu sens ? La mer est là, tout près.

Aussitôt, la petite fille se met à sautiller joyeusement :

– On va se baigner ?

– On est venus ici pour chercher le troisième secret du bonheur, proteste Tom.

– Eh bien, moi, mon bonheur, c'est de sauter dans les vagues !

Et Léa se précipite vers l'échelle de corde.

« Ce n'est pas comme ça qu'on va réussir notre mission… », pense le garçon, mécontent.

Son sac est devenu une besace de toile. Il en retire un à un tous les livres de la bibliothèque pour mettre à la place celui que lui a remis Teddy.

– Alors, tu viens ? l'appelle Léa.

Tom jette le sac sur son dos et entame la descente. Sa sœur l'attend en bas en trépignant d'impatience.

Tous deux se mettent en route, guidés par le bruit des vagues. Les mouettes crient toujours au-dessus de leurs têtes. Ils marchent dans de hautes fougères, escaladent une dune de sable. Quand ils arrivent au sommet, ils découvrent

une immense plage déserte. Au-delà,
la mer disparaît dans la brume.

– Waouh ! souffle Léa. C'est beau.
C'est… mystérieux !

– Oui, approuve Tom.

Les enfants dévalent l'autre côté de la dune et courent vers le rivage. Pendant que Léa ôte ses chaussures et va patauger dans l'eau, Tom s'assied sur le sable. Il sort le livre de son sac, le feuillette.

Soudain, il s'exclame :

– Écoute ça !

Et il lit à haute voix :

Les trois quarts de notre planète sont recouverts d'eau.
Les fonds marins forment une gigantesque plaine à trois mille mètres de profondeur. Mais il existe des failles de plus de dix mille mètres.

– Plus de dix mille mètres ! s'écrie Léa. Ça fait dix kilomètres ! Autant que pour aller chez tante Marie !

Tom approuve de la tête et continue sa lecture :

L'océan abrite des milliers de créatures marines.
Des montagnes et des volcans se cachent sous la surface de l'eau.

– Des montagnes et des volcans ? Cachés sous l'eau ?

– C'est ce que dit le livre, affirme Tom. L'océan est un univers dont nous ne savons presque rien.

– Il y a tout de même des gens qui savent des choses, fait remarquer Léa, sinon, ce bouquin n'aurait pas été écrit.

« Très juste », reconnaît le garçon pour lui-même.

– Allez, l'asticote sa sœur, viens te baigner ! Regarde, voilà le soleil.

Une lumière dorée perce la brume, l'air se réchauffe.

Léa a déjà ôté sa jupe et sa marinière. En culotte, elle plonge dans une vague.

Tom pose son sac, enlève ses sandales et avance prudemment.

– Alors, elle est super bonne, hein ? l'interpelle sa sœur.

– Hmmm…

Le garçon enfonce ses doigts de pied dans le sable fin ; l'eau fraîche lui lèche les mollets. Il renverse la tête pour savourer la tiédeur du soleil sur son visage.

– Déshabille-toi, lui crie Léa. Allons nager plus loin. Le troisième secret du bonheur est peut-être enfoui tout au fond de la mer.

– Comment veux-tu qu'on y descende ? Ici, on n'a pas de submersible !

– Mais on a la baguette de Dianthus ! On n'a qu'à lui demander de nous changer en poissons !

Fermant les yeux, Tom imagine la foule de créatures inquiétantes qui doivent hanter les profondeurs marines.

Il proteste :

– On ne peut utiliser la baguette qu'après avoir essayé tous les moyens possibles, tu le sais bien.

– Tu as raison, admet Léa. Et seulement pour venir en aide aux autres.

– Donc, poursuit le garçon, il faut d'abord les trouver, ces autres !

Léa s'exclame alors :

– Tom ! Je n'y crois pas ! Regarde ça !

Son frère ouvre les yeux.

La brume matinale se dissipe peu à peu. Léa désigne quelque chose du doigt :

– Je crois qu'on les a trouvés !

Tom met sa main en visière. Dans le scintillement des vagues, il distingue un grand trois-mâts, voiles déployées :

– Wouah ! C'est un bateau d'autrefois !

– Oui. On dirait celui des pirates qui nous ont capturés[1] ?

– Oh non, ce n'est pas possible, grogne Tom. Encore des pirates !

– Hé ! Un canot quitte le navire ! Les matelots rament vers nous, exactement comme la dernière fois, quand ils nous ont poursuivis sur la plage ! Tu te souviens du terrible capitaine Bones ?

1. Lire *Le trésor des pirates* (Cabane magique, n° 4).

– Non, pas lui ! Pas… de pa… panique, bégaie Tom.

Mais en réalité, il l'est complètement, paniqué !

Il patauge dans l'eau, rejoint la plage, range le volume dans sa besace et ramasse ses sandales.

– Il faut qu'on se cache ! piaille Léa en se rhabillant à toute vitesse. Mais où ?

– Dans la cabane magique !

– La dernière fois, les pirates y sont montés, rappelle-toi ! Deux affreux types avec des dents toutes noires qui…

– Oublie ça, la coupe brusquement Tom. Et fichons le camp !

Les enfants escaladent la dune. De l'autre côté, ils dévalent la pente, foncent entre les fougères.

– Vite ! Vite ! fait Tom, hors d'haleine.

Arrivés au pied de l'arbre, ils se dépêchent d'escalader l'échelle de corde. Une fois dans la cabane, ils la remontent pour que personne ne puisse grimper derrière eux. Puis le garçon regarde autour de lui :

– Le livre sur le bois de Belleville ? Où peut-il bien être ?

Il est là, sur le plancher. Tom s'en saisit, pose le doigt sur l'image de leur bois, prêt à prononcer la formule qui les ramènera chez eux. Léa l'en empêche :

– Attends un petit peu ! Ne fais pas de souhait tout de suite !

Elle va se pencher à la fenêtre :

– Ces types ne sont pas des pirates…

Un peu à contrecœur, Tom repose le volume et rejoint sa sœur.

La chaloupe, qui amène trois personnes, se rapproche de la plage. Deux hommes sautent à l'eau et tirent l'embarcation sur le sable. Ils sont sanglés dans d'épais gilets de sauvetage sur des chemises blanches à manches bouffantes, coiffés de chapeaux ronds. Leurs pantalons blancs sont roulés au-dessus des genoux.

– Tu as raison, marmonne Tom. De vrais pirates n'auraient pas d'habits aussi propres…

– Et observe l'autre, ajoute Léa.

Le troisième passager qui descend du bateau est armé d'un filet à papillons. Il ôte son gilet de sauvetage. En dessous, il est

vêtu d'un costume à la mode d'autrefois, et son col est orné d'un nœud papillon.

– Il ne ressemble vraiment pas à un pirate, conclut la petite fille.

– On ne dirait même pas un marin…

Tandis que les matelots mettent leur embarcation au sec, l'homme au nœud papillon s'empare d'un bâton. De la pointe, il remue un paquet d'algues.

– Mais qu'est-ce qu'il fabrique ? s'étonne Tom perplexe.

Lâchant son bâton, le curieux personnage ramasse un objet sur le sable. Puis il l'examine un moment et s'agenouille. Il sort un carnet de sa poche et gribouille quelque chose.

– Qui cela peut-il bien être ? marmonne le garçon.

– Pas un pirate, en tout cas. Un pirate ne porte pas de nœud papillon et n'écrit pas dans un carnet !

– Sans doute pas, admet Tom. Alors, qu'est-ce qu'on fait ?

– Tâchons d'en savoir plus ! décide Léa.

Elle laisse retomber l'échelle de corde le long du tronc et descend. Tom la suit.

Dans le sable tiède, ils refont le chemin en sens inverse. Quand ils arrivent au sommet de la dune, les trois hommes sont toujours sur la plage. Le grand navire reste ancré à distance.

– Hé, regarde ! s'exclame Léa. On peut lire le nom du bateau !

Tom plisse les yeux et déchiffre :

THE HMS CHALLENGER

– C'est un bateau anglais. On en parle peut-être dans le livre sur l'océan que nous a donné Teddy.

Il fouille dans son sac, en sort l'ouvrage et le feuillette :

– J'ai trouvé !

Il lit à haute voix :

The HMS Challenger (Her Majesty's Ship signifie « Le navire de Sa Majesté ») était

un vaisseau de la marine britannique.
Il fut le premier bâtiment du monde
dédié à la recherche scientifique.

– Oh, fait le garçon en levant les yeux.
C'est trop bien !

– Continue, le presse Léa.

Tom poursuit :

De 1872 à 1876, le *Challenger* a parcouru
le globe, explorant les profondeurs
de l'océan. Il transportait à son bord
deux cents hommes d'équipage
et six scientifiques.

– Donc, comprend le garçon,
nous voilà au dix-neuvième siècle !

– Et le type au filet à papillons
est l'un de ces scientifiques,
conclut Léa. Viens, allons faire
sa connaissance !

Avant que son frère ait réagi, elle dévale à toute vitesse la pente sableuse en criant et en agitant les bras :

– Hou, hou !

Les trois hommes se retournent. Bouche bée, ils regardent cette petite fille qui court vers eux comme s'ils voyaient apparaître un fantôme.

Un certain Henry

Tom se dépêche de rejoindre sa sœur. Les enfants saluent les inconnus.

L'un des matelots bafouille :

– Mais… mais… Qui êtes-vous ?

– Je m'appelle Tom, se présente le garçon. Et voici ma sœur, Léa.

L'homme au nœud papillon s'avance. Sous sa longue moustache, un sourire amical lui étire la bouche :

– Mon nom est Henry. J'ai débarqué ici à la recherche de papillons, de plantes et de coquillages encore inconnus. Et je viens, me semble-t-il, de découvrir une espèce fort rare : un Tom-et-Léa !

La petite fille pouffe :

– Eh bien, nous, au temps des dinosaures, nous avons découvert un Nono[1] ! C'est ainsi qu'on a baptisé le ptéranodon qu'on a rencontré.

Le scientifique ouvre de grands yeux :

– Je vous demande pardon ?

– Ce n'est rien, c'est une blague ! se dépêche d'intervenir Tom.

– Une plaisanterie inhabituelle, commente Henry d'un air amusé. Ma foi, vous n'avez pas seulement trouvé un Nono et un Henry, mais également un Jo et un Fred, les deux braves matelots qui m'ont conduit sur ce rivage.

1. Lire *La vallée des dinosaures* (Cabane magique, n° 1).

– Bonjour ! leur lance aimablement Léa.

Les marins fixent sévèrement les enfants, les sourcils froncés.

– D'où sortez-vous donc comme ça ? les questionne Jo.

– Du bois de Belleville, répond Léa.

– Nous venons de France, précise Tom.

Cette fois, c'est au tour d'Henry de les interroger :

– Et comment êtes-vous arrivés ici ?

– On est... en vacances, invente la petite fille. Nous campons avec nos parents, par là-bas...

Elle désigne la dune d'un vague geste du bras.

– En vacances ? répète Henry, avec un air perplexe. Ici ?

– Oui, nos parents aiment séjourner dans des endroits… euh… peu fréquentés.

Henry se met à rire :

– Pas de doute ! Les Français sont vraiment des originaux !

– Vous êtes un des scientifiques qui voyagent sur le *HMS Challenger* ? intervient Tom, désireux de changer de sujet de conversation.

Henry hoche la tête :

– En effet. Je fais partie d'une équipe qui cherche à percer le secret des grands fonds marins.

Le secret des grands fonds marins ! Cette expression fait rêver Tom.

– Avez-vous déjà découvert beaucoup de choses ? demande-t-il.

– En premier lieu, répond Henry, nous avons appris que les profondeurs des océans grouillent de vie.

– Parce que vous ne le saviez pas encore ? s'étonne Léa.

– Nous le supposions. Mais beaucoup de gens n'arrivent pas à croire que la vie ait pu se développer dans l'obscurité glaciale des abysses. Certains pensent même que les mers n'ont pas de fond !

– Sérieusement ? s'esclaffe Léa. Alors, vous avez pu leur dire que la profondeur des océans est d'environ trois mille mètres, même si certaines failles descendent jusqu'à dix mille…

– Léa…, la coupe Tom, inquiet.

Sa sœur est toujours trop bavarde !

Henry la dévisage avec curiosité :

– Tu me parais avoir de grandes connaissances, pour une si jeune fille.

Léa continue sur sa lancée :

– Sous la mer, il y a des montagnes et même des volcans.

Son frère se penche pour lui souffler à l'oreille :

– Tais-toi ! Arrête de montrer ton savoir !

La fillette se reprend aussitôt :

– Enfin, c'est ce que j'imagine !

– Tu imagines fort bien, approuve Henry. Au cours de notre voyage, nous avons ramassé dans les fonds marins de nombreuses pierres d'origine volcanique.

– Oh ! Et comment êtes-vous descendu ? Dans un submersible ?

Henry lève un sourcil étonné :

– Un quoi ?

– Vous savez, un engin qui vous emmène sous l'eau.

Tom jette un regard noir à sa sœur :

– Léa… ! siffle-t-il entre ses dents.

Il est presque sûr que ce genre de véhicule n'existait pas au dix-neuvième siècle.

Désignant le filet à papillons, il détourne adroitement la conversation :

– Vous étudiez aussi les papillons ?

– Absolument ! Et aussi les coquillages. Pour tout vous dire, j'ai abordé ce rivage dans l'espoir de découvrir un spécimen très rare. Et je viens peut-être de ramasser son cousin. Je l'ai représenté ici, regardez !

Henry ouvre son carnet et montre un dessin au crayon.

– Voulez-vous qu'on vous aide à en trouver d'autres ? propose Léa.

– C'est vraiment gentil, merci. Mais j'ai eu la chance de mettre la main sur ce que je cherchais. Nous allons retourner au bateau, maintenant.

– Oh, s'il vous plaît, s'exclame la petite fille. Pourrions-nous visiter le *Challenger* ?

– Eh bien, je…

Fred l'interrompt sèchement :

– C'est hors de question. Le capitaine n'acceptera jamais de faire monter des enfants à bord. Le règlement l'interdit.

Henry paraît indécis. Tom n'aime guère transgresser les règlements, mais il a trop envie de visiter le bateau. Il adresse au scientifique un sourire plein d'espoir :

– On souhaiterait en apprendre plus sur l'exploration des mers !

Léa renchérit :

– On ne gênera personne, promis !

D'ailleurs, nos parents nous encouragent toujours à nous instruire.

Henry se tourne vers les matelots :

– Des jeunes gens à l'esprit aussi curieux méritent d'être récompensés, déclare-t-il. Puisque nous restons à l'ancre dans cette baie toute la journée, nous pourrons les ramener à terre avant ce soir.

Jo et Fred échangent un regard. Finalement, Jo fait un signe de tête approbateur.

– Génial ! se réjouit Léa.

– Merci beaucoup, ajoute Tom. Nous ne vous causerons pas d'ennuis.

– J'en suis sûr, dit Henry en souriant. Messieurs, voulez-vous prêter vos gilets de sauvetage à nos invités ?

– Mais, ils sont trop grands pour eux, objecte Jo.

– Tant pis ! Nous devons avant tout assurer leur sécurité.

À contrecœur, les marins équipent donc les enfants.

« Ces trucs sont complètement démodés... », pense Tom.

Les gilets sont constitués de morceaux de liège attachés ensemble. Même en les resserrant au maximum, ils ballottent.

– Hmmm..., fait Henry. Un peu larges, en effet. Mais ils pourraient vous sauver la vie si jamais on chavirait.

– Ne vous inquiétez pas, le rassure Léa.
On est bons nageurs.

– On y va, monsieur ? s'impatiente Fred.

– Oui, oui ! Allons-y !

Les matelots poussent l'embarcation
pour la remettre à flot.

Pendant que Tom et Léa discutaient avec Henry, la mer a commencé à s'agiter. Des nuages noirs ont envahi le ciel, cachant le soleil.

– Montez derrière moi, vite ! ordonne le scientifique.

Les enfants embarquent. Tom tient son sac serré contre sa poitrine.

Jo et Fred sautent à bord à leur tour, empoignent les avirons et rament en direction du grand navire.

4

Du balai !

– Le vent est contraire, constate Fred en tirant plus fort sur les rames.

La barque danse au gré des vagues. L'eau jaillit par-dessus bord, aspergeant les passagers.

Tom est très inquiet, pas à cause de la houle, mais parce qu'il craint d'avoir le mal de mer. Son estomac commence déjà à protester.

– Pas de chance, constate Henry, le temps se gâte.

– Oh, ça ira, lui assure Léa.

– Espérons-le…, maugrée son frère entre ses dents.

Il ne voudrait surtout pas vomir devant Jo et Fred !

– On va arriver juste à temps pour voir les hommes remonter la pêche de la matinée, indique le scientifique.

L'embarcation tangue de plus en plus fort ; les yeux de Léa pétillent d'excitation :

– C'est trop amusant !

Tom, lui, ne s'amuse pas du tout. Cramponné à son sac, il lutte de toutes ses forces contre les nausées.

– Chaque jour apporte son lot de découvertes, continue Henry. Au large de l'Argentine, nous avons prélevé une centaine de nouvelles espèces : des vers géants de plusieurs mètres de long, des crevettes aussi grosses que des langoustes ! Vous vous rappelez celle que vous avez prise dans vos filets, Jo ?

– Ouais, grogne le matelot sans cesser de ramer. Mais il y a une créature qu'on n'a pas pu attraper ; c'est de celle-là que les gosses devraient se méfier !

– De quelle créature parlez-vous ? demande Léa.

– Du grand monstre, répond Fred.

Il a pris un ton si inquiétant que Tom en oublie presque son mal de mer :

– Grand comment ? Comme un requin ?

– Bien plus que ça ! Encore plus grand que le requin-tigre de six mètres qui nous a suivis un moment.

« Un requin de six mètres, ça existe ? » pense le garçon, affolé. Il observe la surface de l'eau, s'attendant presque à voir un aileron fendre la surface.

– Ouais, ajoute Jo. Cette bête est plus grosse qu'un requin géant ! Ceux qui l'ont vue disent que c'est quelque chose entre un dragon et une gigantesque étoile de mer !

– Ou plutôt que ça ressemble à un nid de serpents flottant, le corrige Fred. Si ça s'enroule autour de vous, ça vous étouffe !

– Un nid de serpents flottant ? répète Léa d'une toute petite voix.

Tom se tourne vers Henry :

– Et vous, vous l'avez vu ?

Henry secoue la tête :

– Non. Mais, pas plus tard qu'hier, plusieurs hommes d'équipage ont aperçu une forme monstrueuse dérivant entre deux eaux.

– N'ayez pas peur, les gosses ! rigole Jo. Si elle s'approche, cette bestiole tâtera de notre harpon !

Les deux marins s'esclaffent bruyamment, et Tom se dit : « Si ça se trouve, les matelots s'amusent simplement à effrayer les scientifiques. Sinon, ils ne riraient pas si fort. »

Ils ont rejoint le *Challenger*. Dansant sur les vagues, le canot se range le long de la coque du navire. Tom lutte toujours contre la nausée. Jo lui lance :

– Grimpe le premier, petit ! Tu es aussi vert qu'une feuille de laitue !

Serrant son sac sous son bras, le garçon escalade l'échelle et pose le pied sur le pont.

Léa arrive juste derrière lui, puis Henry, et enfin Jo et Fred. Lorsqu'ils sont tous à bord, les matelots hissent le canot à l'aide de poulies. Henry et les enfants se débarrassent de leurs encombrants gilets de sauvetage.

Tom respire à fond. Même si le navire oscille légèrement, il n'est pas secoué comme l'était la légère embarcation.

Des hommes d'équipage s'activent, roulant des cordages, transportant d'énormes seaux. Le garçon s'apprête à interroger Henry sur leur contenu. Mais celui-ci s'est tourné vers deux individus qui s'avancent d'un pas vif : un homme de haute taille sanglé dans un uniforme blanc, et un plus vieux, un costaud vêtu de noir. Tous deux froncent les sourcils d'un air mécontent.

– Aïe, fait Tom. Problèmes en vue…

– C'est qui, ces deux-là ? demande Léa.

Avant que Tom ait pu répondre, Uniforme Blanc rugit.

– Qu'est-ce que vous nous amenez, monsieur Moseley ? hurle Uniforme Blanc. Pas des papillons, à ce qu'il me semble !

Effrayé, Tom se serre contre Léa.

– Eh bien, capitaine, je vais vous expliquer…, commence Henry.

Le gros en noir l'interrompt :

– Seigneur ! Où avez-vous pêché cette créature à quatre jambes et quatre bras ?

– Sur la plage, professeur ! Cette créature, comme vous dites, passe ses vacances dans l'île.

Le gros homme sourit :

– Oh, je vois ! J'ai cru un instant qu'il s'agissait du monstre que les marins disent avoir aperçu hier.

Tom frémit : « Encore ce monstre… »

Le capitaine intervient d'une voix sévère :

– Un bateau n'est pas un endroit pour les enfants, monsieur Moseley.

– Je sais, capitaine. Mais ces jeunes

gens possèdent
une connaissance
étonnante de la
mer. J'ai pensé
qu'on pouvait
les autoriser
à passer
l'après-midi
à bord.

– Vous n'ignorez
pas que c'est
contraire au
règlement ?

Léa ne peut pas
se contenir plus longtemps :

– Ce n'est pas la faute de M. Henry,
capitaine ! Nous l'avons supplié de nous
laisser visiter votre bateau !

– Vraiment ? intervient le gros homme
en noir. Et pourquoi ça ?

– Parce qu'on aime l'océan !

– Et on souhaiterait en apprendre plus sur l'exploration des mers ! s'empresse d'ajouter Tom.

– Eh bien, vous êtes au bon endroit ! Permettez-moi de me présenter : professeur Thomson, directeur de l'équipe scientifique à bord du *Challenger*.

Henry Moseley précise :

– Le professeur est un célèbre spécialiste des océans.

– Waouh ! souffle Léa, impressionnée.

Le gros professeur sourit d'un air modeste :

– N'exagérons rien, mon ami !

Mais, passant les pouces dans les revers de sa veste, il commence à discourir sur le ton d'un conférencier :

– Depuis les origines du monde, les secrets des grands fonds sont demeurés cachés. Au cours de notre expédition, nous en avons percé un grand nombre.

– Lesquels, par exemple ? demande Tom, curieux.

– Grâce à des kilomètres de câbles, nous avons mesuré la profondeur de la mer. Nous avons immergé des thermomètres pour relever la température de l'eau. Plus important encore, nous avons étudié de très près les stupéfiantes créatures qui vivent dans l'obscurité, très loin au-dessous de la surface.

– Tout ça est extrêmement intéressant, professeur, le coupe le capitaine. Mais je veux que ces enfants quittent le navire immédiatement, avant que le mauvais temps nous empêche de les débarquer. Vous m'avez entendu, monsieur Moseley ? Ouste ! Du balai !

5

Vase, limace et coquillage

Le capitaine pivote sur ses talons et s'éloigne à grands pas.

– Désolé, mes jeunes amis, s'excuse Henry, mais le capitaine a la responsabilité du bateau.

Regardant autour de lui, il reprend :

– Jo et Fred sont allés aider les marins à sortir de l'eau les prises de la journée. Dès qu'ils auront terminé, je leur demanderai de vous reconduire sur la plage. Je regrette.

– Pas de problème, le rassure Léa. Vous avez fait ce que vous pouviez.

– Avant de partir, propose le professeur Thomson, voulez-vous jeter un coup d'œil aux spécimens qui ont été pêchés ?

– Bien sûr ! acceptent les enfants d'une seule voix.

– Alors, venez ! Chaque jour nous apporte une surprise !

Aussi impatients l'un que l'autre de voir ce qui va remonter des profondeurs, les enfants se hâtent de suivre Henry et le professeur.

Un groupe de matelots hissent les filets. Ceux-ci ressemblent à de grands sacs auxquels sont attachées des éponges.

– À quoi servent donc ces éponges ? questionne Léa.

– Elles absorbent des petits animaux sur le sol sous-marin, explique Henry.

– Elles les amènent de l'obscurité totale jusqu'à la lumière du jour, commente le professeur.

– Les pauvres, s'apitoie la petite fille. Ils doivent être terrifiés !

Le gros homme ne semble pas l'avoir entendue :

– Au fil des années, nous avons capturé ainsi des dizaines de milliers de spécimens !

Lorsque les matelots déversent le contenu des sacs sur le pont, Tom ne voit d'abord que de la vase. Mais, en observant mieux, il distingue de minuscules poissons roses et verts qui se tortillent, et des étoiles de mer d'un bel orange vif.

– Il n'y a pas de monstre là-dedans, constate Léa.

– Non, pas aujourd'hui, dit le professeur.

La petite fille rit :

– Je plaisantais. Vous croyez aux monstres, professeur ?

– Ma foi…

Le gros homme poursuit, avec un air tout à fait sérieux :

– Les mers sont très profondes, tu sais, petite. Et elles couvrent presque les trois quarts de la planète. Parmi les myriades de mystérieuses créatures qu'elles recèlent, pourquoi certaines ne seraient-elles pas monstrueuses ?

« C'est très juste », approuve Tom intérieurement.

– Mais soyez sans crainte, jeunes gens, reprend le professeur. Un jour, nous capturerons ces monstres, nous les étudierons. Et la connaissance nous libérera de nos peurs ! N'est-ce pas, Henry ?

– Absolument !

– Oui ! Se libérer de la peur grâce à la connaissance ! s'enthousiasme le professeur. Voilà un thème magnifique à ajouter à mes conférences !

À cet instant, le tonnerre roule au loin. Tom lève les yeux. De gros nuages noirs obscurcissent le ciel. Une rafale de vent balaie le pont. Le capitaine s'avance vers le petit groupe en ordonnant :

– Une tempête se prépare. Faites descendre les enfants au pont inférieur !

– D'accord, monsieur ! dit Henry.

Il adresse un clin d'œil à Tom et à Léa :

– Eh bien, mes jeunes amis, vous allez rester à bord un peu plus longtemps que prévu, me semble-t-il !

– Chic ! se réjouit Léa.

Le capitaine hurle à pleins poumons des ordres à l'équipage :

– Allez ! Chacun à son poste ! Carguez les voiles[1] !

Henry entraîne les enfants vers une écoutille, juste au moment où la pluie commence à tomber. Tous trois descendent un escalier étroit qui débouche dans un corridor faiblement éclairé.

– Ce bâtiment est un ancien navire de guerre transformé en bateau scientifique, explique Henry. Seize des dix-huit canons ont été enlevés ; à la place, on a installé des laboratoires. Voulez-vous voir le mien ?

– Ce serait génial ! s'exclame Tom, ravi.

1. Carguer les voiles : les attacher contre les mâts.

– Alors, suivez-moi !

Henry déverrouille une serrure et introduit les enfants dans une pièce à peine éclairée par une verrière. La pluie tambourine contre la vitre. Le scientifique craque une allumette et enflamme la mèche d'une lampe à pétrole. Des ombres se mettent à danser sur les murs. Tom lâche un soupir de contentement : il adore ce laboratoire !

Sur des étagères s'alignent des centaines de bocaux où flottent des formes bizarres. Le centre de la pièce est occupé par une large table en bois encombrée de cartes, de règles, de thermomètres, de récipients. Au milieu trône un gros microscope.

Désignant l'instrument, Henry demande :

– Voulez-vous voir une chose étonnante ?

– Oh oui !

Léa va appuyer son œil contre l'objectif.

– Waouh ! souffle-t-elle. Incroyable !

– Laisse-moi regarder, dit Tom.

Il pose son sac sur un coin de table et observe à son tour. Il découvre alors un minuscule hippocampe.

– Ooooh !

– Cet hippocampe n'est pas plus gros qu'un grain de sable, explique Henry. Mais les créatures de grande taille sont tout aussi intéressantes. Hier, j'ai passé plusieurs heures à étudier l'os d'une oreille de dauphin. Fascinant !

Léa désigne l'alignement de flacons, le long du mur :

– Et qu'est-ce qu'il y a là-dedans ?

– Des êtres extrêmement curieux. Par exemple cette chose, qui ressemble à une grosse chaussette, est faite de millions de bêtes microscopiques agglomérées.

– Drôle de chaussette ! pouffe Léa.

– Et voici une limace de mer.

Tom observe la forme d'un beau jaune vif flottant dans un liquide transparent. Il constate :

– Jolie couleur !

– Chaque fois que nous découvrons un nouveau spécimen, poursuit Henry, nous le mesurons, l'observons et l'identifions. Puis nous le conservons dans un flacon empli d'alcool et soigneusement étiqueté.

– Alors, là-dedans, il n'y a que des bêtes mortes ? demande Léa.

– Oh non ! Certains bocaux contiennent simplement de la vase ramassée au fond de la mer, comme celle-ci, que je suis en train d'étudier.

Il montre une soucoupe où est étalée une sorte de boue noirâtre.

Puis il s'empare d'un gros carnet :

– Sur ces pages, je recopie mes croquis.

Il le feuillette, et devant les yeux ébahis des enfants défilent de merveilleuses aquarelles représentant des coquillages, des plantes, des insectes.

– Magnifique ! s'exclame Tom.

Ce carnet lui rappelle ceux de Léonard de Vinci, qu'ils ont vus à Florence[1].

1. Lire *Le secret de Léonard de Vinci* (Cabane magique, n° 33).

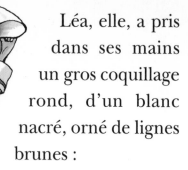

Léa, elle, a pris dans ses mains un gros coquillage rond, d'un blanc nacré, orné de lignes brunes :

– Et celui-là ! Qu'il est beau !

– Ah, oui ! Mon nautile !

– C'est un des spécimens que vous avez trouvés ? demande la petite fille.

– Celui-là est bien plus qu'un spécimen ! Je le considère comme un vrai trésor. Je m'étais attaché à la petite créature qui vivait à l'intérieur. Elle nageait si drôlement dans la bassine où je l'avais installée ! Toujours en marche arrière ! Elle se gorgeait d'eau, puis la recrachait comme si elle voulait m'asperger.

Avec un soupir, Henry conclut :

– Elle a fini par mourir, et j'ai regretté de ne pas l'avoir rejetée à la mer. J'en ai été vraiment attristé.

Il rit :

– C'est un peu bête, non ?

Léa secoue la tête :

– Je ne trouve pas ça bête du tout.

À cet instant précis, la cloche du bateau retentit.

– Ah, l'heure du repas ! s'écrie Henry. Le capitaine ne supporte pas qu'on soit en retard. Rendons-nous au carré.

– Le carré ? répète Tom.

– La pièce où déjeunent les scientifiques et les officiers.

– Ah…

Rien qu'à l'idée de déjeuner, le garçon sent de nouveau son estomac se contracter. Mais Henry souffle sur la lampe et lance gaiement :

– Allez ! À table !

Purée de pois

Sortant du laboratoire, le scientifique entraîne les enfants le long d'une coursive[1]. Dans la faible lumière du pont inférieur, un groupe d'hommes franchit une porte. Les trois compagnons pénètrent à leur suite dans le carré.

Le garçon et la fille, mal à l'aise, prennent place à table. La plupart des convives les dévisagent avec curiosité.

Le gros professeur leur adresse un clin d'œil, mais le capitaine semble contrarié.

Henry s'adresse à lui :

1. Coursive : couloir étroit à l'intérieur d'un navire.

– J'ai invité nos jeunes amis à se joindre à nous pour le repas. Nous les ramènerons dans l'île lorsque la tempête sera apaisée, je vous le promets.

Le capitaine hoche la tête :

– Soit. Qu'on les débarque dès la première accalmie.

Henry se tourne vers les autres officiers et scientifiques :

– Messieurs, je vous présente Tom et Léa. Ils viennent de France et sont déjà de vrais explorateurs !

– Bonjour ! marmonnent timidement les enfants.

Des marins en uniforme blanc tiennent le rôle de serveurs. Ils disposent sur la table des assiettes, des couverts et des gobelets.

Léa se penche vers Henry et demande à voix basse :

– Qu'est-ce qu'on va manger ?

Le scientifique soupire :

– Le menu habituel : de la viande salée et des biscuits secs.

« Pas terrible… », pense Tom. Quand les plats apparaissent sur la table, c'est à peine s'il peut les regarder, encore moins y goûter. Mais il meurt de soif. Il prend son gobelet et aspire une bonne goulée.

Il la recrache aussitôt. Le liquide est atrocement acide ! Il s'étrangle, il tousse. Quand il reprend enfin son souffle, il s'aperçoit que tous les regards sont fixés sur lui. Rouge de confusion, il bredouille :

– Excusez-moi…

– Tu as avalé ton jus de citron de travers, commente le gros professeur. Fais comme nous, bois à petites gorgées !

– Pourquoi buvez-vous du jus de citron ? s'étonne Léa.

– Ça protège du scorbut[1]. Nous devons en prendre un verre chaque jour, pour ne pas voir nos dents tomber !

– Berk !

Henry ajoute en riant :

– Pour rester en bonne santé, il suffit de consommer des fruits et des légumes. Mais ils sont difficiles à conserver sur un bateau.

« Évidemment, comprend Tom. Ils ne connaissent pas encore les réfrigérateurs… » Lui, de toute façon, il a l'estomac à l'envers. Son mal de mer empire. D'ailleurs, il lui semble que le bateau remue de plus en plus. Il remarque :

– Il y a davantage de houle que tout à l'heure, on dirait ?

Henry se tourne vers le hublot :

– Oui, et on n'y voit plus rien. On est dans la purée de pois.

1. Scorbut : maladie due au manque de vitamine C.

« Oh ! non, pense le garçon. Qu'on ne me parle pas de purée de pois ! »

Le navire tangue brusquement. Les couverts se mettent à glisser sur la table. Tom et Léa s'accrochent l'un à l'autre pour ne pas tomber.

– Cette fois, on est en pleine tempête, constate le professeur.

Le tangage augmente, des assiettes et des gobelets dégringolent par terre.

Tous les convives se lèvent et, avec le plus grand calme, se dirigent vers la porte, l'air de savoir exactement où ils vont.

Henry attrape fermement les enfants chacun par un bras :

– Venez, on descend dans la cale. On y attendra l'accalmie.

Titubant, Tom et Léa sortent du carré. Tom dérape, il patine sur le plancher mouillé et sent qu'il écrase des morceaux de biscuits.

Le vent s'engouffre en hurlant dans la coursive. Henry crie très fort pour se faire entendre :

– Il faut que j'aille mettre des choses en sécurité dans mon labo. Vous deux, prenez cet escalier.

– Non, on reste avec vous, proteste Léa.

– Vous serez mieux en bas ! Suivez les autres, dépêchez-vous ! Je vous rejoins dès que je peux.

Tom tire sa sœur par le bras :

– Allez, viens !

Ils s'engagent sur les premières marches. Au même instant le bateau bascule brutalement, et Tom a l'impression que son estomac lui remonte dans la bouche. Pas question qu'il vomisse, il aurait trop honte ! Il lance à Léa :

– Descends, toi ! Moi, je remonte.

– Hein ? Quoi ? Mais pourquoi ?

Tom ne répond pas. Il s'est déjà précipité vers le pont supérieur.

Lorsqu'il surgit à l'air libre, il est aussitôt giflé par la pluie, malmené par le vent. Au-delà du bastingage, les vagues ressemblent à des montagnes noires et blanches.

Le garçon comprend aussitôt qu'il a eu tort. « Mieux vaut la honte que la noyade », pense-t-il. Il s'apprête à faire demi-tour quand Léa bondit devant lui.

– Tom ! hurle-t-elle. Qu'est-ce que tu fais ?

Oubliant son envie de vomir, il pousse
sa sœur vers l'escalier :

– Redescends ! Il ne faut pas rester là !
Va ! Va ! Je viens avec toi !

Une vague gigantesque déferle alors sur
le pont. Tom est jeté au sol, il patauge dans
l'écume. Il n'y voit plus rien ; les siffle-
ments furieux du vent l'assourdissent.

À l'instant où il réussit enfin à se relever, une deuxième vague s'abat sur lui. Le bateau s'incline dans l'autre sens ; Tom tombe sur les genoux. Une troisième vague balaie le pont ; le garçon est emporté dans un tourbillon, il passe par-dessus bord et s'enfonce dans les flots déchaînés.

Au secours !

L'eau est glaciale. Tom remonte à la surface, toussant et crachant. Il hurle à pleins poumons :

– Au secours !

Si seulement il avait encore le gilet de sauvetage, même trop grand ! Les récits de Jo et de Fred lui reviennent en mémoire ; il voit passer dans sa tête des images terrifiantes : un gigantesque requin-tigre, un monstre ressemblant à un nid de serpents flottant…

– Au secours ! Au secours !

Cette fois, ce n'est pas lui qui appelle. Cette voix, c'est… celle de Léa ! Elle aussi a été emportée !

Tom nage de toutes ses forces, tâchant de se maintenir à la surface. Soudain, une énorme vague soulève la petite fille et la jette vers son frère. Le garçon tend la main ; la vague suivante les écarte l'un de l'autre. Léa crie :

– La baguette, Tom ! Sers-toi de la baguette !

La baguette ! La baguette de Dianthus !
Où est-elle ? Dans son sac ! Mais, ce sac, où
l'a-t-il laissé ?

– La baguette, Tom ! Vite !

– Je ne l'ai pas…

Sa voix est avalée par le rugissement de la tempête. À grands mouvements de bras et de jambes, le garçon essaie de rejoindre sa sœur. Une vague lui passe par-dessus ; il émerge, aveuglé ; il se débat. Le monstre, à présent, c'est la mer elle-même ! Elle cherche à l'étouffer dans ses anneaux glacés !

– LÉA !

De nouveau, Tom est englouti dans une eau noire. Il agite les bras, les jambes. Impossible de remonter. L'air lui manque. Cette fois, c'est fini, il va se noyer…

Alors, quelque chose s'enroule autour de sa taille et le tire vers le haut. Sa tête sort de l'eau. Il ouvre la bouche et aspire une grosse bouffée d'air. Les vagues continuent de rouler autour de lui ; pourtant, il se sent maintenu au-dessus de leur surface.

D'abord trop occupé à respirer, le garçon est incapable de réfléchir.

Puis il distingue une bizarre masse grise ponctuée de taches sombres, près de lui. On dirait un parachute déployé.

Au centre, il y a un gros crâne rond, avec deux yeux jaunes barrés d'une pupille noire. Et, tout autour, de longs tentacules garnis chacun d'une double rangée de ventouses.

Tom lâche une exclamation d'horreur : une pieuvre géante ! Dix fois plus grosse que celle qu'ils ont vue dans le récif de corail[1] ! Et elle l'emprisonne dans un de ses tentacules !

1. Lire *Sauvés par les dauphins* (Cabane magique, n° 12).

– Au secours !

Il tire de toutes ses forces sur le bras caoutchouteux. Rien à faire.

Tom regarde désespérément autour de lui. Où est Léa ?

Enfin il la voit, emprisonnée elle aussi par un tentacule qui la maintient hors de l'eau.

Son soulagement de retrouver sa sœur n'apaise pas sa terreur. Il vocifère :

– Léa ! Échappe-toi !

Il continue de lutter pour se dégager, mais plus il se débat, plus l'horrible bras se resserre autour de lui. Il entend alors sa sœur l'apostropher :

– Arrête de gigoter, Tom ! Elle vient nous sauver !

Qu'est-ce que Léa raconte ? La peur l'a rendue folle ?

– Résiste, Léa ! Elle va nous étouffer et nous entraîner au fond !

– Mais non ! Tu ne vois donc pas ? Elle nous empêche de nous noyer.

– Hein ?

Tom tâche de dominer sa panique. La pieuvre le tient fermement, mais n'essaie pas de l'étouffer. Le tentacule l'entoure un peu comme une bouée. Le garçon ose plonger son regard dans celui de la bête. Et il comprend que Léa dit vrai. La créature ne lui veut aucun mal ; au contraire, elle a l'air… compatissante. Curieuse, aussi, et même un peu intimidée. D'un seul coup, la peur de Tom s'évanouit : c'est vraiment le plus extraordinaire sauvetage qu'il ait jamais vécu !

Il entend sa sœur s'adresser à la bête :

– Bonjour, toi ! On est des amis, hein ?

Tom ne peut s'empêcher de rire. Léa rit, elle aussi, et la pieuvre elle-même a l'air de s'amuser.

À cet instant, une trompe résonne quelque part. Des appels retentissent. Levant les yeux, Tom voit le *Challenger* qui fait voile vers eux.

Le monstre
des grands fonds

Sur le pont supérieur, des hommes d'équipage se penchent par-dessus le bastingage. Ils braillent, ils gesticulent.

La pieuvre géante lâche Tom et Léa, qui s'enfoncent dans l'eau. Quand le garçon revient à la surface, il lance à sa sœur :

– Le bateau ! Il faut rejoindre le bateau !

Tous deux se mettent à nager. Le ciel est toujours noir, et la mer encore agitée. Mais la tempête est passée.

Brasse après brasse, les enfants se rapprochent jusqu'à attraper l'échelle de corde,

qui pend le long de la coque. Du haut du bastingage, Henry et le professeur leur tendent la main :

– Grimpez !

– En vitesse, avant que le monstre revienne !

Lorsque les rescapés arrivent tout en haut de l'échelle, les deux hommes les aident à sauter sur le pont. Ils les enroulent aussitôt dans de grandes couvertures.

– Dieu merci, ils sont sains et saufs ! soupire le professeur.

– Je vous croyais en sécurité dans la cale, dit Henry. Comment êtes-vous tombés à l'eau ?

– C'est une… une grosse vague qui…, répond Tom en claquant des dents.

– Qu'est-ce que vous fabriquiez sur le pont ? s'exclame Henry.

– J'avais le… mal de… mer…

– J'ai voulu rattraper Tom, explique Léa, et une vague nous a emportés. Heureusement, la pieuvre nous a sauvés.

Le professeur ouvre de grands yeux :

– Ce *monstre* vous a sauvés ?

– Non, non, ce n'est pas un monstre, proteste Tom. C'est seulement une pieuvre géante.

– C'est bien ce que je dis ! Un monstre des profondeurs ! Il n'avait sûrement pas l'intention de vous sauver ! C'est un miracle qu'il ne vous ait pas avalés tout crus, ta sœur et toi !

– La pieuvre nous a vraiment sauvé la vie, insiste Léa. Elle ne voulait pas nous manger. Elle nous a maintenus à la surface de l'eau. C'est grâce à elle si on ne s'est pas noyés !

– C'est vrai, renchérit Tom. Elle a disparu parce qu'elle a eu peur du bateau.

– Et on ne l'a même pas remerciée, regrette Léa.

La petite fille se penche par-dessus le bastingage et ajoute à mi-voix :

– On ne lui a même pas dit au revoir !

À cet instant, des appels s'élèvent à l'arrière du bateau.

– Que se passe-t-il ? s'étonne Henry.

Un petit groupe de matelots s'agite en poussant des exclamations. Parmi eux, il y a Jo et Fred.

– On l'a pris ! hurle Jo.

– Oui ! On a attrapé le monstre ! Enfin ! s'égosille Fred.

Tom et Léa échangent un regard inquiet. Rejetant leurs couvertures, ils courent à la poupe. Henry et le professeur s'élancent :

– Restez ici !

– N'approchez pas !

Les enfants ne les écoutent pas.

Ils se faufilent entre les marins et les scientifiques qui s'approchent. Ils se penchent par-dessus le bastingage.

La pieuvre géante est prise dans un filet. Ses tentacules battent l'eau désespérément. Un nuage d'encre noire se répand autour d'elle.

– Relâchez-la ! s'affole Léa. Vous lui faites mal !

– Pousse-toi, gamine, grogne un marin.

Certains injurient la bête, d'autres se taisent terrifiés. Le capitaine perd son sang-froid :

– Reculez ! Ce monstre est assez fort pour endommager la coque !

– Vous êtes fous ! s'énerve Tom. Ce n'est pas un monstre, laissez-la !

– Des tentacules de cette taille sont aussi durs que de l'acier, affirme un marin.

– Pas du tout, proteste Léa. Ils sont doux et souples !

Mais, dans le brouhaha, personne ne l'entend. Les matelots s'affolent :

– Ces bêtes-là, ça vous dévore un homme en une bouchée !

– Préparez les harpons !

– Prenez des haches et des couteaux !

– NOOOOON ! rugissent Tom et Léa.

C'est alors que le professeur intervient :

– Les enfants ont raison !

Voyant le gros homme et Henry à ses côtés, Tom se sent un peu rassuré.

Le professeur ajoute :

– Ne détruisez surtout pas cette créature, capitaine. Hissez-la plutôt à bord !

– À bord ? répète le garçon, surpris.

– Oui ! Capturons-la vivante ! Ainsi, nous pourrons l'étudier.

Les yeux du professeur brillent.

– Laissez-la p… partir ! bégaie Tom.

– Pitié, supplie Léa, rendez-lui sa liberté !

Mais ni le capitaine ni le professeur ne semblent les entendre. Ils sont trop occupés à discuter du sort à réserver à la bête.

– Il faut la tuer, professeur, argumente le premier. Elle pourrait briser la coque et nous entraîner par le fond.

– La science a besoin de spécimens vivants ! rétorque le deuxième. Permettez-moi au moins de l'examiner !

Pendant ce temps, la pieuvre a refermé ses longs tentacules autour d'elle comme pour se protéger. Léa ne peut plus supporter ça. Elle éclate en sanglots :

– Henry ! S'il vous plaît, empêchez-les ! Il ne faut pas la tuer ! Ni la capturer !

Henry Moseley paraît troublé, lui aussi. Il intervient dans la discussion :

– Messieurs, cette jeune fille a raison !

Personne ne l'écoute. Léa, les joues mouillées de larmes, attrape son frère par le bras et le secoue :

– Tom, sauve-la, je t'en supplie ! Fais quelque chose !

– Oui, mais... quoi ? lâche le garçon, désemparé. On a tout essayé...

C'est curieux, cette phrase lui rappelle... Ah oui, bien sûr ! Et, soudain, Tom sait exactement ce qu'il doit faire.

9

Réfléchis, Tom !

Tom agrippe sa sœur par le bras :

– Léa ! Mon sac ! Je ne sais plus du tout où je l'ai posé…

– On s'en fiche, de ton sac, répond la petite fille en reniflant. La pauvre pieuvre va mourir…

– La baguette, Léa ! La baguette de Dianthus est dedans ! Il nous la faut absolument ! Vite !

Les enfants jouent des coudes pour échapper à la foule des marins excités. Ils traversent le pont au galop.

– Tu l'as peut-être oublié dans le canot ?
dit Léa.

– Peut-être… Je ne me souviens plus.

– Réfléchis, Tom !

Tout en courant, le garçon se creuse la
tête : « Il n'est pas resté sur la plage ? Non,
je me rappelle… Dans le canot, j'avais mal
au cœur, et je le tenais serré contre moi….
Il m'embarrassait quand j'ai grimpé
à l'échelle le long de la coque du navire… »

– Il est quelque part à bord ! Sûrement dans le carré !

– Vite !

Tous deux s'engouffrent par l'écoutille. Ils dévalent les marches, cavalent le long de la coursive, ouvrent la porte à la volée, parcourent le carré en tous sens. La besace n'y est pas.

– Dans le laboratoire d'Henry, peut-être ? suggère Léa.

– Oui ! crie Tom. Ça me revient ! Je l'ai posé sur la table avant de regarder dans le microscope.

Ils se précipitent vers le laboratoire. La porte est verrouillée.

– Il faut qu'on aille chercher Henry, lâche Tom, hors d'haleine.

– Non, on n'a pas le temps, s'énerve la petite fille.

– Mais on n'a pas le choix, réplique le garçon.

Et ils reprennent leur course folle en sens inverse.

L'équipage est toujours rassemblé à la poupe, beuglant et gesticulant. Léa fonce sur Henry et le tire par la manche :

– Venez, Henry, vite ! Ouvrez-nous la porte de votre labo ! Tom a absolument besoin de son sac, c'est une question de vie ou de mort !

– Hein ? bredouille le scientifique.

– On vous expliquera plus tard…

– Dépêchez-vous ! le supplie Tom.

Henry, l'air ahuri, se laisse conduire jusqu'à l'escalier. Les enfants le poussent sur les marches.

Arrivé devant la porte du laboratoire, il sort sa clé et l'introduit dans la serrure. Tom et Léa bondissent dans la pièce. Le sac est là, sur la table !

Tom fouille dedans, s'empare de la baguette. Le bel objet torsadé luit doucement dans la pénombre.

– Qu'est-ce que c'est que ça… ? s'étonne Henry.

– On vous donnera des explications plus tard, répète Léa.

Tom court déjà vers la porte :

– Vite, remontons sur le pont !

Sa sœur le retient juste avant qu'il sorte :

– On n'a pas le temps ! Sers-toi de la baguette, Tom ! Tout de suite ! Avant qu'ils ne fassent du mal à la pauvre pieuvre !

Tom s'arrête net ; Léa a raison. Il se concentre, lève la baguette.

– Cinq mots ! lui rappelle la petite fille.

– Je sais…

Cinq mots ! C'est leur dernière chance ! Mais… quels mots ?

– Dépêche-toi ! s'impatiente Léa. Ils vont la tuer…

– Une minute ! Laisse-moi réfléchir !
La sauver aujourd'hui ne suffit pas. Je veux
être sûr que jamais personne ne tentera
de la capturer, ni elle ni les autres bêtes
de son espèce.

Tom ferme les yeux. Il se représente le
gigantesque animal marin, son corps en
forme de parachute, ses longs tentacules,
son regard jaune,
à la fois timide
et curieux.

Qu'un être aussi extraordinaire puisse existe, c'est un miracle ! Le garçon voudrait le faire comprendre à tout le monde. Malheureusement, personne ne l'écoutera. À moins que...

– Tom ! le supplie Léa. Vite !

– Que tous voient la vérité ! clame alors son frère.

– Quoi ?

Les yeux toujours fermés, il répète, en détachant bien chaque mot :

– Que - tous - voient - la - vérité ! C'est mon vœu. Que tous ces gens, là-haut, le comprennent : cet animal est une merveille de la nature !

Henry fixe le garçon d'un air étonné :

– De quoi parles-tu ? Qu'est-ce que c'est que cet objet ?

– C'est une baguette magique, déclare Léa, sur le ton de l'évidence.

Tom essaie d'inventer une explication.

– En fait, bredouille-t-il, c'est une… euh…un…

Aucune idée ne lui vient. Henry sourit, amusé :

– Ah, je vois ! Vous jouez, comme des enfants.

– Nous *sommes* des enfants, soupire Léa. Viens, Tom ! Allons voir si la formule a fonctionné !

10

Au cœur des océans

Tom range la baguette dans son sac. Puis sa sœur et lui sortent en courant du laboratoire, suivis d'Henry.

Sur le pont, ils entendent les mêmes éclats de voix. L'agitation règne à la poupe. Les enfants se fraient un passage entre les matelots qui braillent et gesticulent, et ils regardent par-dessus le bastingage.

La pieuvre est toujours emprisonnée dans le filet. Les hommes se sont armés ; certains préparent des harpons, d'autres brandissent des couteaux.

– Ne faites pas ça ! s'affole Léa.

– Arrière, les gosses, rugit le capitaine. Ne restez pas dans nos jambes !

Le professeur s'interpose :

– Je vous en prie, ne tuez pas cette bête ! Accordez-moi au moins quelques heures pour l'étudier !

Avant que le capitaine ait eu le temps de répondre, un homme lance son harpon. Par chance, il a mal visé, l'arme tombe dans l'eau avec un grand bruit d'éclaboussure.

– Noooon ! hurle Léa.

Tom a grimpé sur un tas de cordage pour que tout le monde puisse le voir. Il s'époumone :

– Ne la tuez pas ! Elle ne vous fera pas de mal ! Laissez-la vivre en paix dans la mer !

Hélas ! personne ne l'écoute.

Léa s'égosille à son tour :

– C'est la vérité ! Relâchez-la !

Cette fois, le capitaine s'énerve :

– Assez ! Qu'on ramène ces gosses dans l'île ! Tout de suite !

Fred et Jo s'emparent des enfants, qui continuent de hurler en se débattant :

– Non ! Non !

Ils se démènent si bien qu'ils échappent aux deux matelots. Aussitôt, Tom court de nouveau sur le tas de cordage et vocifère de plus belle :

– Relâchez la pieuvre ! Elle vous effraie parce qu'elle est énorme, mais c'est un miracle de la nature !

Peine perdue. Léa vient se poster à côté de son frère. Elle secoue la tête, complètement désespérée :

– La magie n'a pas fonctionné. Je ne comprends pas…

« Pourquoi ? Pourquoi ? » se demande Tom, aussi consterné qu'elle.

Ils ont pourtant respecté les règles : ils n'ont pas agi pour eux-mêmes, ils ont d'abord essayé tous les autres moyens, Tom a bien prononcé cinq mots…

À cet instant, un marin s'exclame :

– Le monstre ! Le monstre sort de l'eau !

Les enfants se penchent.

Il se passe alors une chose incroyable : la pieuvre abaisse ses tentacules, elle se hisse au-dessus de la surface et elle émet un son étrange, pareil au sifflement du vent dans les haubans[1] :

– JJJJJJJEEEEEE NNNNNEEEEE…

Les hommes d'équipage bafouillent, stupéfaits :

– C'est dingue ! Elle… elle parle ! Cette bête parle… !

1. Haubans : cordages servant à maintenir les mâts.

Le sifflement monte encore :

– SSSSSUIS PAAAAAS...

C'est maintenant un gémissement d'une effroyable tristesse, qui semble monter du plus profond des océans :

– UUUUUN MONSSSSSTRE !

La pieuvre se laisse retomber, à bout de forces. Matelots et scientifiques échangent des regards terrorisés.

Alors, dans le silence, Léa déclare :

– Vous avez compris ce qu'elle disait ? « Je ne suis pas un monstre ! » Vous voyez ? Rendez-lui sa liberté !

Des voix incrédules s'élèvent ici et là :

– Oui, c'est bien ce que j'ai entendu !

– Moi aussi !

– Je n'en crois pas mes oreilles !

Un marin tout pâle affirme d'une voix tremblante :

– Il ne faut pas la tuer, ça nous porterait malheur...

Les regards se tournent vers le capitaine, qui se tient immobile, les yeux fixés sur la bête. Puis il interroge le professeur d'un signe du menton. Le gros homme en noir paraît abasourdi. Il ouvre la bouche pour parler, mais aucun son n'en sort.

Le capitaine fixe tour à tour Tom et Léa, les matelots, la pieuvre. Enfin, il lève la main et ordonne :

– Libérez-la !

Les uns après les autres, les marins rangent leurs couteaux et leurs harpons. Henry s'approche alors :

– Capitaine, avec votre permission, j'aimerais beaucoup rendre moi-même la liberté à cette créature.

Le capitaine hoche la tête :

– Permission accordée. Allez-y monsieur Moseley.

Henry fait signe aux enfants :

– Venez m'aider !

– Avec joie ! accepte Tom.

Fred et Jo s'approchent.

– On va vous donner un coup de main,
grommelle le premier.

Le petit groupe s'avance vers le canot.
Des hommes d'équipage le font descendre
jusqu'à l'eau. Henry, Jo, Fred, Tom et Léa
s'engagent sur l'échelle et prennent place
dans l'embarcation. Une rangée de visages
curieux les observent, penchés au-dessus
du bastingage.

Jo et Fred empoignent les rames : ils
dirigent le canot jusqu'à l'arrière du
navire, où la pieuvre est emprisonnée.

– Tenez le filet ! ordonne Henry à ses
jeunes compagnons.

Tom et Léa tendent le bras et attrapent
chacun un coin du filet. Avec un couteau
aiguisé, Henry coupe les mailles épaisses.
Le canot se balance fortement, pourtant,
cette fois, Tom n'a pas du tout mal au cœur.

Il regarde la pieuvre, qui glisse peu à peu dans l'eau, ses tentacules déployés autour d'elle tels les pétales d'une fleur géante.

– Au revoir ! murmure Léa. Rentre chez toi, tu es libre !

La bête agite deux tentacules, comme pour les remercier.

Puis elle s'enfonce lentement sous la surface et disparaît.

11

Le nautile d'Henry

Tom lève les yeux. Du haut du grand navire, le capitaine, l'équipage et les scientifiques contemplent la scène en silence. Puis tous se mettent à applaudir et à lancer des hourras.

Au même instant, tel un rideau qui se lève sur la scène d'un théâtre, les nuages s'écartent lentement. Des rais de lumière descendent du ciel, teintant la mer de rose et d'or.

– Ne troublons plus jamais la paix de ces eaux ! déclare le capitaine.

Puis il donne des ordres :

– Tout le monde à son poste ! Larguez les voiles !

Henry s'adresse aux enfants :

– On vous ramène dans l'île, à présent ?

– Oui, s'il vous plaît, répond Léa.

Tom se contente de hocher la tête. Il se sent exténué.

Jo et Fred reprennent les rames, et le canot se dirige vers le rivage.

Le vent est tombé, seule une légère brise caresse les visages.

– On va avoir une belle nuit claire, prédit Fred.

– Oui, approuve Jo. Bon temps pour naviguer !

À quelques mètres de la plage, les deux marins sautent à l'eau et tirent l'embarcation sur le sable.

Tom et Léa les remercient, avant de débarquer à leur tour, suivis d'Henry. Celui-ci accompagne les enfants jusqu'en haut de la dune.

– Le soir approche, fait-il remarquer. Vous êtes sûrs que tout ira bien ?

– Ne vous inquiétez surtout pas, le rassure Tom. Nous serons rentrés à la maison avant la nuit.

– Vous avez de la chance, soupire le scientifique, un peu nostalgique. J'aimerais bien être à la maison avant la nuit, moi aussi…

Tom et Léa lui souhaitent bon voyage.

– J'espère que vous ferez beaucoup de découvertes ! ajoute Léa.

Ils s'apprêtent à dévaler la pente quand Henry les retient :

– Attendez ! J'ai un cadeau pour vous !

Il fouille dans la poche de sa veste et en sort son précieux nautile. Il explique :

– Si je suis retourné dans mon laboratoire, quand la tempête s'est déchaînée, c'était surtout pour mettre cet inestimable coquillage en sûreté. Maintenant, je désire vous l'offrir.

– Oh non, Henry ! s'écrie Léa. Gardez-le ! Vous l'aimez trop !

Le scientifique secoue la tête :

– Je l'aime beaucoup, c'est vrai. Je veux tout de même que vous le gardiez. Aujourd'hui, vous m'avez appris – vous nous avez appris à tous – une chose importante : nous n'avons pas le droit de faire souffrir des êtres innocents. Le professeur a dit très justement que la connaissance nous libérera de nos peurs. Mais vous nous avez rappelé que la compassion est le meilleur remède contre la peur. Nous, les hommes de science, devons rester respectueux des êtres vivants, quels qu'ils soient. J'ai manqué de compassion envers la petite créature qui vivait dans cette coquille, et cette idée m'attriste.

« Oh, je comprends ! pense Tom. Le voilà, le secret ! »

Henry tend le nautile, et Léa le saisit délicatement entre ses mains :

– Merci beaucoup, Henry. Nous en prendrons grand soin.

– C'est moi qui vous remercie. Au revoir, jeunes explorateurs ! Passez de bonnes vacances !

Avant que Tom et Léa ajoutent quoi que ce soit, Henry Moseley fait demi-tour et court vers le canot.

Les enfants marchent dans les hautes herbes. L'échelle de corde pend le long du tronc de l'arbre, la cabane magique les attend.

Ils y grimpent et vont regarder par la fenêtre.

Le canot s'éloigne déjà, Fred et Jo rament vers le *Challenger*, tandis que le soleil qui descend fait étinceler les vaguelettes.

Soudain, Léa s'exclame :

– Et notre mission ? On n'a pas décou-vert le troisième secret du bonheur !

Un immense sourire illumine le visage de Tom :

– Bien sûr que si ! Tu as entendu ce qu'a dit Henry ? Un des secrets du bonheur, c'est d'être compatissant envers les êtres vivants, quels qu'ils soient !

– Oh, c'est vrai ! Moi, j'aime toutes les bêtes du monde, et ça me rend tellement heureuse ! Je me demande pourquoi tant de gens ne comprennent pas combien c'est important !

L'air grave, elle ajoute :

– Ils ont toujours besoin de trucs extra-ordinaires pour être convaincus, comme d'entendre parler une pieuvre.

– Tu as raison, approuve Tom. Que cette pieuvre soit une pieuvre, c'est déjà extraordinaire.

Léa sourit :

– Et le beau coquillage d'Henry, lui aussi il est extraordinaire ! Il est si beau qu'on croirait un miracle !

Elle tend le nautile à son frère, qui le range soigneusement dans la besace :

– Il nous aidera à nous souvenir de ce nouveau secret.

– Et de notre rencontre avec Henry ! Bon ! On retourne à la maison ?

Léa ramasse le livre qui parle du bois de Belleville. Elle pose le doigt sur l'image et déclame, en imitant l'étrange voix de la pieuvre :

– NNNOUS VVVOULONNNS RENNN-TRERRR CHEZZZ NNNOUS !

Tom se met à rire. Il s'apprête à dire que ça ne va pas marcher, qu'il faut prononcer la phrase normalement. Il n'en a pas le temps.

Le vent s'est mis à souffler, la cabane à tourner.

Elle tourne plus vite, de plus en plus vite.

Puis tout s'arrête, tout se tait.

De grosses gouttes de pluie tambourinent sur le toit de la cabane.

Tom et Léa remettent leurs casques de cycliste. Le garçon dépose sur le plancher l'album sur les océans et range les livres qu'il a empruntés à la bibliothèque dans son sac à dos.

– J'ai hâte de les lire, déclare-t-il.

– Et moi, j'ai hâte d'être à table pour dîner ! J'espère que maman ne nous servira pas de la viande trop salée et des biscuits trop durs avec du jus de citron !

Tom pouffe :

– Ni de la purée de pois !

Les enfants redescendent par l'échelle de corde. Ils enfourchent leurs vélos.

– Je suis contente de rentrer, déclare Léa.

Tout en roulant sur le sol humide, Tom commente :

– Moi aussi. Autant que la pieuvre ! Elle voulait retourner chez elle, elle aussi, tout au fond de la mer ! Au fait, on ne sait même pas comment elle s'appelle.

– Hmmm… Loulotte, ça lui irait bien, tu ne trouves pas ? Je me demande si elle a des bébés pieuvres. Je l'imagine, se dépêchant d'aller les rejoindre pour les serrer tous dans ses huit grands bras !

Ils éclatent de rire et pédalent plus fort, sous la pluie, pressés de retrouver l'abri de leur maison.

Fin

Si tu as envie de nous donner
tes impressions sur la série
ou de nous parler de tes propres voyages
réels ou imaginaires,
n'hésite pas à nous écrire !

Bayard Éditions
Série Cabane Magique
18, rue Barbès
92128 Montrouge Cedex

N'oublie pas d'écrire
ton nom et ton adresse sur la lettre !